JN122230

いくつ
イルカなぁ？

やせいのイルカのおとずれるまち

文・写真　青山（あおやま） 英孝（ひでたか）

イラスト・
デザイン編集　かわもと わかな

スロベニアという国を知っているかな？

ここは、
その西の端っこにある小さな港町。

あれっ！

お空にお月さまが
まだいるよ。

そろそろお日さまにバトンを
わたす時間だね。

今日もピランの町に
すがすがしい朝がやって来ました。

海(うみ)でイルカがとびあがっているよ。

海岸(かいがん)では 男(おとこ)の子(こ)がそのようすをながめているよ。

とってもたのしそう。

いくつイルカなぁ？

イルカは、一頭。

男の子は、一人。

「ひとつ」のことを

 **ONE**（ワン）というよ。

 **ENA**（エナ）というよ。

ぬけるような青空（あおぞら）がすてきだね。

海鳥（うみどり）が気持（きも）ち良（よ）さそうに飛（と）んでいるよ。

すきとおった海（うみ）がとってもきれいだね。

恋人（こいびと）たちがとっても幸（しあわ）せそうだよ。

いくつイルカなぁ？

海鳥は二羽。

男の子と女の子を合わせて、二人。

「ふたつ」のことを

 **TWO**（トゥー）というよ。

 **DVA**（ドヴァー）というよ。

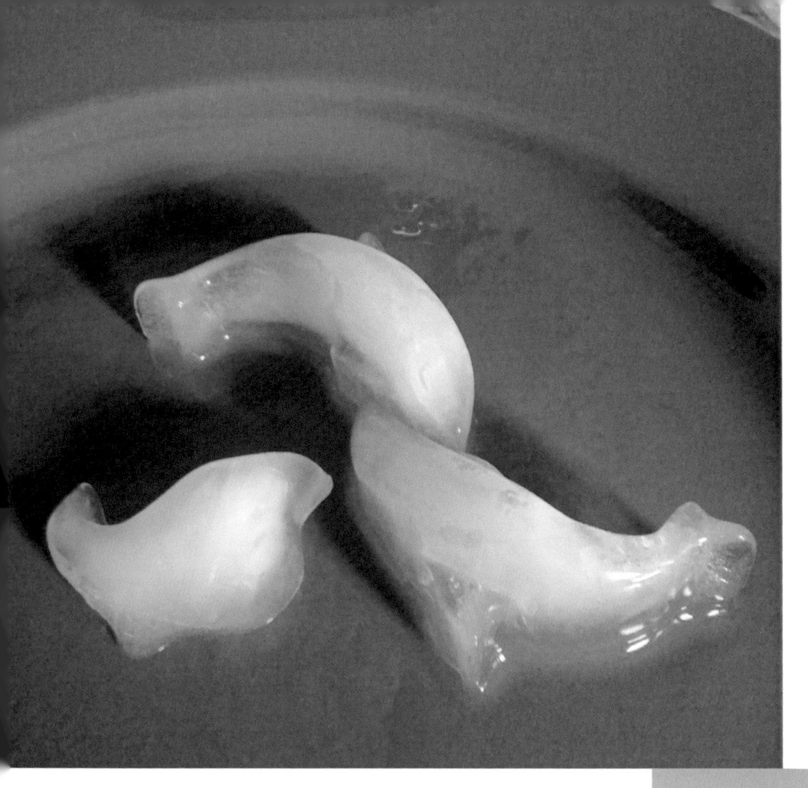

いくつイルカなぁ？

イルカの氷（こおり）が三個（さんこ）。

ボートに乗（の）っている人（ひと）が三人（さんにん）。

「みっつ」のことを

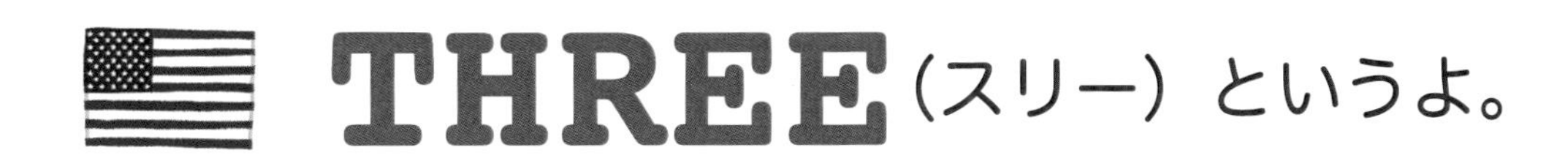

THREE（スリー）というよ。

TRI（トリー）というよ。

教会につづく坂道をマウンテンバイクでのぼっているよ。

キッチンでは、お母さんがお昼ごはんをつくっているよ。

いくつイルカなぁ？

マウンテンバイクが、四台（よんだい）。

フライパンとなべを合（あ）わせて、四（よっ）つ。

「よっつ」のことを

FOUR（フォー）というよ。

ŠTIRI（シュティリ）というよ。

パプリカさん、

テーブルに なかよくならんでいるね。

いくつイルカなぁ？

パプリカは、五つ。

車は、五台。

車(くるま)さん、

どうろに きれいにとまっているね。

「いつつ」のことを

FIVE（ファイブ）というよ。

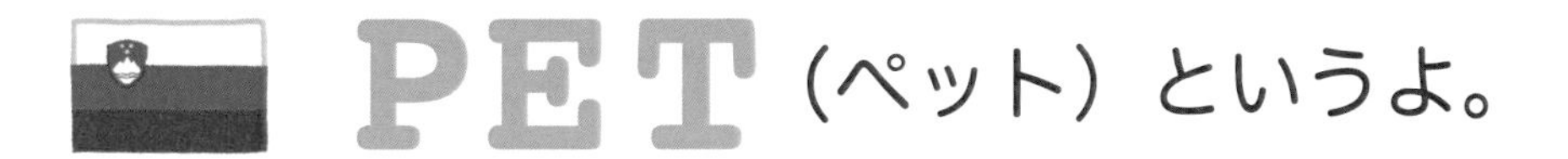
PET（ペット）というよ。

イルカは、たくさんのしゅるいがいるよ。

でも、ピランのまわりの海には、

バンドウイルカが、たった150頭ほどだけすんでいるそうだよ。

とってもさみしいね。

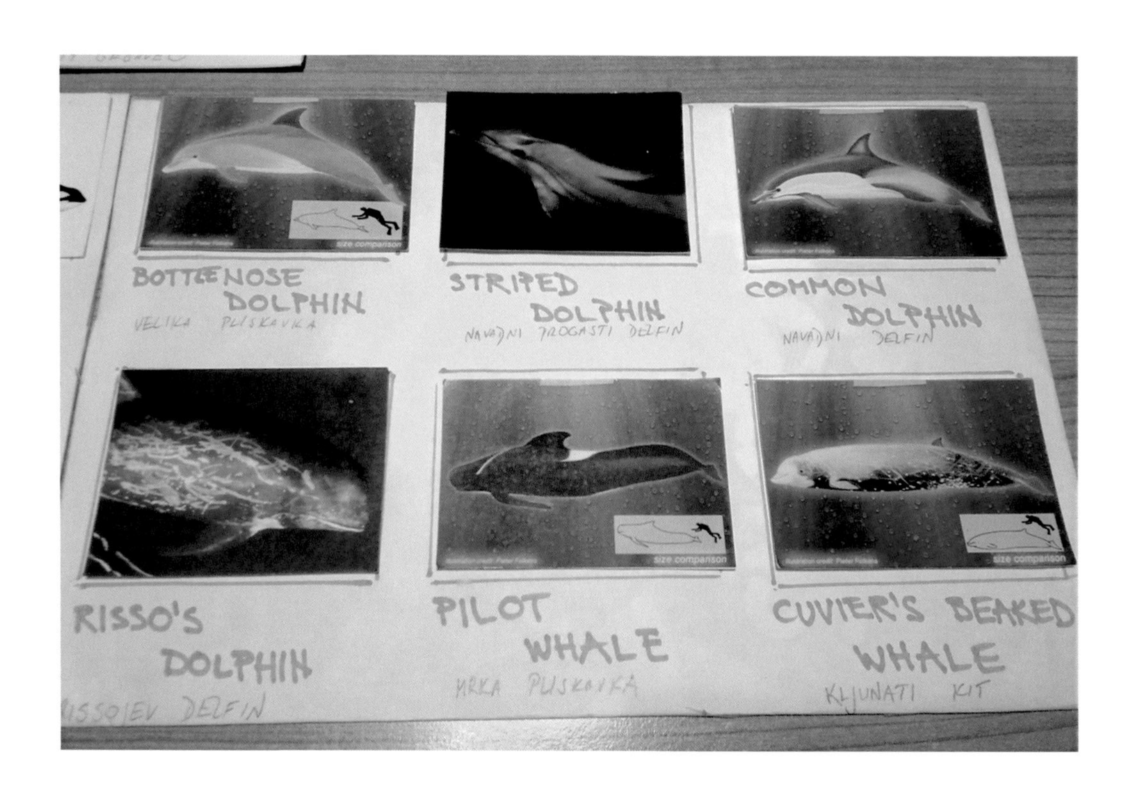

いくつイルカなぁ？

イルカのしゃしんが、どちらも六枚ずつあるね。

「むっつ」のことを

 **SIX**（シックス）というよ。

 **ŠEST**（シェステ）というよ。

いくつイルカなぁ？

イルカは、七頭（ななとう）。　ふねは、七（なな）せきいるね。

7

「ななつ」のことを

 **SEVEN**（セブン）というよ。

 **SEDEM**（セデム）というよ。

赤いヒトデのとなりに、

魚がいるよ。

いくつイルカなぁ？

魚は八匹いるね。オムライスは八皿あるね。

「やっつ」のことを

EIGHT（エイト）というよ。

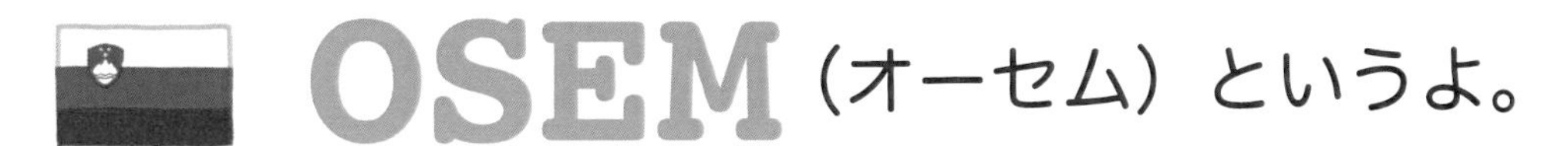
OSEM（オーセム）というよ。

オムライスに、もじをかいているよ。

いくつイルカなぁ？

9

波うちぎわで子どもが、はしゃいでいるね。

子どもが九人。イルカのせびれが九つ。

「ここのつ」のことを

DEVET（デベット）というよ。

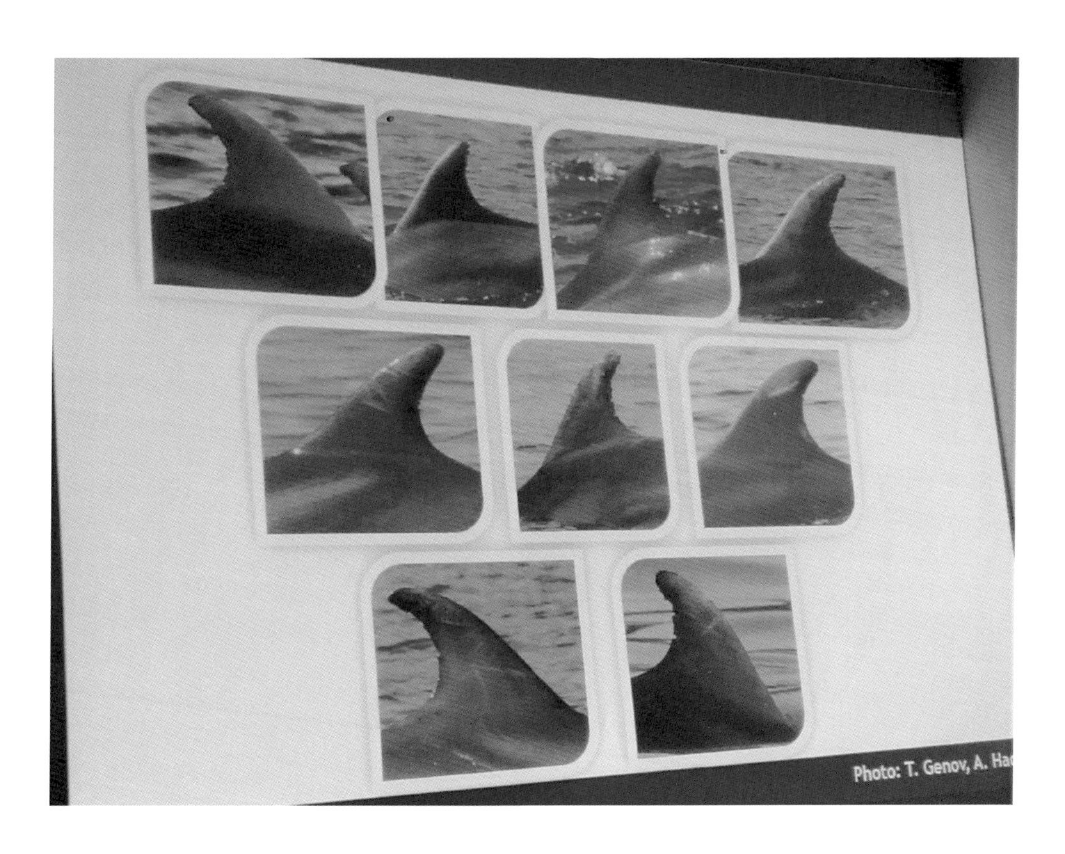

ところで、あなたはしっているかな？

イルカのせびれは、形（かたち）やもようが一頭（いっとう）ずつちがうそうだよ。

いくつイルカなぁ?

スーパーで買(か)ったたまごは十個(じゅっこ)いりでした。

イルカちょうさのなかまは、十人(じゅうにん) でした。

しごとをおえて、カフェでひとやすみです。

10

「とお」のことを

 **TEN**（テン）というよ。

 **DESET**（デセット）というよ。

うわ～～ぁ。

夕やけがきれいだね。

お日さまが海にしずんでいくよ。

そろそろ星空の出番だね。

この海にすむイルカさんも
おやすみのじかんだね。
あしたもピランの町に
すてきな朝が訪れますように…。

この絵本を読まれる皆さまへ

「スロベニア？どこにある国なの？」

「チェコの隣にあるスロバキアなら知っているけど ...」

日本人にとって、スロベニア共和国は馴染みのない国ですが、

豊かな自然とかわいらしい町並みで、近年世界中の観光客を魅了する注目の国です。

さて、舞台となったピランは、スロベニアの西側にある小さな町です。

高台の砦跡から眺めた町並みは、まるで映画の世界のように美しく、絶景です。

ピランは、野生イルカが生息する町として知られ、世界から人々が訪れます。

2017年の夏、「アドリア海のイルカ追跡調査」にボランティアとして

参加する機会を得て、研究者の調査活動に携わりました。

イルカにとって重要な海域を明らかにし、その海域を海洋保護区として保全することが、

アドリア海の 生態系の保護に繋がるという壮大な取り組みに、深い感銘を受けました。

帰国後、その活動の様子を人々に伝えたいと願い、

2018年末に写真で綴った「ピランで奏でるシンフォニー」という絵本を制作しました。

今回は、小さなお子様にも楽しんでいただけるように、

いろいろな「もの」が登場します。

それらを英語で順番に数えたり、スロベニア語で唱えたりしてください。

読み進めていくと、調査の様子や、ピランの海に生息するイルカの現状を

イメージできると思います。

また、最近では、海を浮遊するマイクロプラスチックが、

海洋生物に悪影響を与えることも分かってきました。

ひとつに繋がっている美しい海を、国境を越えてみんなで守っていきたいですよね。

近年、スロベニアと日本との関係は、経済や文化の交流や姉妹都市の提携など、

日本との結び付きは強く友好な関係を保っています。

独立後も多くのスロベニア人は、EUの公用語であるスロベニア語を日常的に使います。

日本ではスロベニア語の知名度はまだ低いですが、

スロベニアを訪れたときやスロベニア人と話すときには、

ぜひスロベニア語で話しかけてみましょう。

きっと、とびっきりの笑顔であなたを出迎えてくれることでしょう。

最後に、

この絵本を楽しまれるとき、スロベニア数字にも興味を持ち、

スロベニアという国に親しみを持っていただければ、このうえない喜びです。

令和元年十月　青山　英孝

著者紹介

文・写真　青山 英孝

愛知県小牧市生まれ。公立学校に勤務。
国際理解教育や環境教育などの授業実践も幅広く行っている。

イラスト・デザイン編集　かわもと わかな

三重県伊勢市生まれ。グラフィックデザイナー。元ANAグランドスタッフ。
日本とオーストラリアを行き来しながら活動中。

本書の売上は、スロベニア共和国のドルフィンプロジェクトを支援するために
役立たせていただきます。

いくつイルカなぁ？

2019年10月25日　初版発行

文・写真　青山 英孝
イラスト・デザイン編集　かわもと わかな

定価（本体価格1,700円＋税）

発行所　株式会社 三恵社
〒462-0056　愛知県名古屋市北区中丸町2-24-1　TEL 052-915-5211　FAX 052-915-5019
URL http://www.sankeisha.com

ISBN978-4-86693-146-3 C8787 ¥1700E

本書を無断で複写・複製することを禁じます。
乱丁・落丁の場合はお取替えいたします。